A GRANDE IMAGERIE

LES CAMIONS

Conception
Émilie BEAUMONT

Textes
Agnès VANDEWIÈLE

Illustrations
Jacques DAYAN

Couverture
Pascal LAHEURTE

FLEURUS

GROUPE FLEURUS, 15-27, rue Moussorgski 75018 PARIS
www.editionsfleurus.com

LES PREMIERS CAMIONS

Conçus pour transporter de lourdes charges, les premiers camions, mis au point en Angleterre au 19e siècle, étaient des véhicules à vapeur. Puis, avec l'invention du moteur à explosion vers 1880, les camions à vapeur sont détrônés par les modèles à essence, qui peuvent démarrer à froid en quelques minutes. Avec le moteur à essence, la chaudière disparaît, la mécanique devient moins encombrante. À partir de 1920, apparaît le moteur Diesel, au fonctionnement moins coûteux.

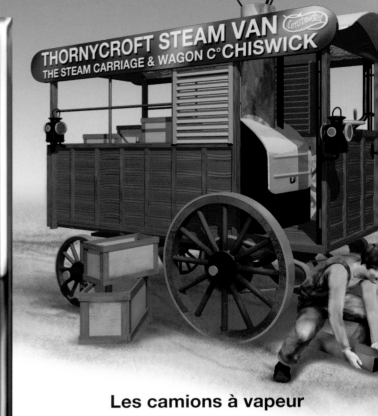

Les camions à vapeur

Dans les années 1870, les Anglais mettent au point des véhicules à vapeur. Puis John Isaac Thornycroft construit en 1896 ce qui sera le premier camion commercial en Angleterre (ci-dessus). Fonctionnant à la vapeur, il pèse près d'une tonne et atteint 20 km/h. C'est en Angleterre que les camions à vapeur vont être produits le plus longtemps, jusqu'à la Seconde Guerre mondiale.

Les premiers camions à essence

En 1896, le constructeur allemand Gottlieb Wilhelm Daimler réalise le premier camion à essence du monde. Le Daimler Phoenix (ci-dessus), qui pèse 1,5 tonne, est propulsé par un moteur de 4 CV. Comme tous les premiers camions, il n'avait ni pare-brise ni toit. Le chauffeur était assis sur une banquette en bois !

Le Berliet M de 1910

Ce camion français dont il ne reste qu'un seul exemplaire fut restauré et classé monument historique en 1988. Il avait une capacité de 3,5 tonnes de charge utile et son moteur lui permettait d'atteindre la vitesse de 25 km/h, une performance supérieure à celle des moteurs de l'époque. Il fut fabriqué de 1909 à 1913.

THORNYCROFT STEAM VAN
THE STEAM CARRIAGE & WAGON C° CHISWICK

Une bétonnière.

Camion à vapeur de 1896.

Une cabine avancée.

Tracteur et semi-remorque.

Course de camions : championnat d'Europe.

Vers le camion moderne

Dans les années 1920, apparaissent les premières cabines fermées qui seront adoptées sur presque tous les camions dans les années 30. Durant cette période, les bandages pleins des roues sont remplacés par des pneumatiques. Puis surviennent d'importantes innovations comme le démarreur électrique, l'éclairage électrique et les premiers moteurs Diesel.

Le plus gros camion du monde

Avec la série T-100, Berliet réalise en 1957 le plus gros camion du monde, destiné à la recherche de pétrole dans le Sahara algérien. La construction de ce monstre hors normes (15,30 m de long et plus de 4 m de haut) fut décidée et mise au point en moins de neuf mois. Avec ses énormes pneus (hauts de plus de 2 m et pesant 1 tonne), il pouvait se déplacer en plein désert, là où il n'y a ni route ni piste. Il sera aussi utilisé avec une benne dans les mines d'uranium à ciel ouvert et les chantiers d'autoroute. Quatre exemplaires furent construits entre 1957 et 1959. Leur puissance allait de 600 à 700 CV.

Le T-100 pouvait supporter une charge de 120 tonnes.

QU'EST-CE QU'UN CAMION ?

En Europe, tout véhicule de transport de marchandises de plus de 3,5 tonnes (poids total du camion chargé) est considéré comme camion. Sur route, peuvent circuler des camions pesant jusqu'à 40 tonnes. Il existe des quantités de modèles selon le type de chargement et l'utilité. Les constructeurs améliorent sans cesse le confort et la sécurité, la tendance étant de fabriquer des camions plus légers et moins polluants. Comme sur les voitures, l'électronique est également de plus en plus présente.

Porteurs et tracteurs

Un camion porteur comporte un châssis su lequel reposent à la fois la cabine et la caiss contenant les marchandises. Cette caisse pe être remplacée par une benne ou un platea selon les besoins du transporteur.

D'autres camions sont composés d'un tracteur (1) tirant une semi-remorque (2) ; on appelle tracteur la partie avant où se trouvent la cabine et le moteur. La semi-remorque est indépendante. Elle est fixée au tracteur au moyen d'une sellette d'attelage (3).

La cabine

On distingue deux types de cabines : cabine arrière et cabine avancée. La cabine est dite arrière quand le moteur est situé devant elle, sous le capot (A). La cabine est dite avancée si elle se trouve au-dessus du moteur, on peut alors accéder au moteur en faisant basculer la cabine (B).

Les moteurs des camions sont Diesel de 6, 8 ou 10 cylindres selon la puissance nécessaire et peuvent aller de 300 à 600 CV. On a mis au point des moteurs Diesel « écologiques » émettant moins de gaz polluants et plus silencieux.

Dans la cabine se trouve le poste de conduite avec toutes les commandes. Sur le tableau de bord sont rassemblés tous les indicateurs nécessaires à la conduite ainsi que l'électronique embarquée : radio, téléphone, ordinateur de bord. Grâce à ce dernier, le chauffeur peut communiquer à tout moment avec son entreprise, envoyer régulièrement sa position géographique (grâce au GPS), les temps d'activité (conduite, repos, kilomètres parcourus...) et recevoir les ordres de transport par son employeur.

Afin de faciliter et rendre plus agréable la vie du chauffeur, les cabines actuelles sont plus spacieuses, plus confortables et mieux insonorisées. Elles sont climatisées, chauffées, équipées de sièges adaptés à la position de la conduite, ainsi que de couchettes et d'espaces de rangement. Selon les modèles, on peut aussi y trouver réfrigérateur, congélateur, four à micro-ondes, radio, télévision...

LES TYPES DE CAMIONS

Une grande partie des produits de la vie quotidienne voyagent par route, et donc par camion : aliments, vêtements, meubles, machines, matières premières (bois, coton, acier...). Pour cela, on a construit de nombreux types de camions adaptés à leur transport. Ces véhicules tiennent compte du conditionnement des marchandises (vrac, liquide, gaz, poudre), des contraintes de sécurité (pour les produits inflammables notamment), de poids, de températures, d'encombrement...

Le camion frigorifique

C'est un porteur équipé d'une caisse isotherme (ou frigorifique) et d'un groupe électrogène pour produire du froid. On peut ainsi transporter sur de longues distances de aliments périssables (fruits, légumes, viande poisson), des surgelés, des produits chimiques. Certaines caisses frigorifiques so à bi-température permettant le transport de produits qui nécessite des températures différentes entre − 25 °C et 25 °C.

Le chargement et le déchargeme s'effectuent au moyen d'un bra articulé terminé par un grappin Les plus grands grumiers peuve tracter 3 remorques capables d charger chacune 50 tonnes de bo

Le camion-grumier

Il est conçu pour transporter le bois des lieux d'abattage en forêt jusqu'aux scieries et usines de pâte à papier. Il est équipé d'une remorque spéciale munie de sellette pour porter les troncs.

La bétonnière

Elle sert à apporter sur les chantiers de construction le béton prêt à l'emploi. La bétonnière se charge à une centrale à béton qui remplit la toupie de ciment, sable, gravier et eau. Pendant le transport vers le lieu de chantier, la toupie tourne pour mélanger et malaxer ces composants. Sur le lieu d'arrivée, ce mélange est alors déversé par la goulotte.

La bétonnière peut charger de 6 à 15 m³ de béton.

Le citernier

Il est équipé d'une cuve permettant de transporter des produits liquides, en vrac, en poudre ou en granulés, qu'ils soient alimentaires (lait, farine, cacao liquide), pétroliers (essence, gaz, fuel) ou des matériaux de construction (sable, ciment...). La cuve peut avoir plusieurs compartiments séparés. Un citernier peut contenir 30 000 à 38 000 litres d'essence ou 17 000 à 35 000 litres de lait.

Les produits sont déchargés en s'écoulant par le bas ou par pompage.

Le camion porte-voitures

Ce camion est équipé d'une plate-forme à 2 niveaux pour transporter les automobiles depuis l'usine où elles sont montées jusqu'aux lieux de vente, les garages et les concessionnaires. Les voitures montent sur le camion grâce à des rampes. Les porte-voitures longs de plus de 20 m peuvent transporter 11 voitures.

11

Réservés à des tâches bien précises, ces véhicules utilitaires ne transportent pas de marchandises mais sont munis d'équipements spécifiques selon leurs missions.

La benne à ordures

À l'arrière du camion, les éboueurs accrochent les poubelles roulantes à une sorte de monte-charge qui les soulève et les incline de façon à déverser leur contenu à l'intérieur de la benne. Là, un système compacte les déchets pour réduire leur volume. Les plus grosses bennes peuvent charger jusqu'à 12 tonnes d'ordures.

Le camion élévateur pour ravalement d'immeubles

Il est spécialement équipé pour nettoyer les façades. Son bras télescopique mobile et orientable permet d'atteindre des façades d'une hauteur allant jusqu'à 40 m. Dans la cabine, située au bout du bras télescopique, l'opérateur projette une poudre très fine qui élimine la saleté, la poussière est aussitôt aspirée par de puissants aspirateurs.

Une fois le camion correctement stabilisé, le ravalement peut commencer.

Le chasse-neige

Pour déneiger les routes et autoroutes, on utilise des engins spécifiques équipés d'étraves, d'ailerons, de lames et de turbo-fraises. L'étrave, grosse pièce en forme d'avant de coque de navire, repousse la neige sur les côtés. Les ailerons, grosses lames fixées sur les côtés, rejettent la neige à droite et à gauche. Quant à la turbo-fraise (située à l'avant), elle brise la neige durcie : on l'utilise pour dégager des cols, enlever des congères ou éliminer des coulées de neige allant jusqu'à 3 m de haut.

Le chasse-neige peut aussi être équipé d'une saleuse. Le sel déposé empêche en effet la neige et la glace de s'accrocher à la chaussée.

La laveuse avec lance haute pression

Elle sert à laver les chaussées et les trottoirs. Elle est munie d'une réserve d'eau et d'une lance maniée par un opérateur qui projette de l'eau sous haute pression. À l'avant du véhicule, des buses diffusent l'eau tandis que des brosses rotatives assurent un lavage efficace.

La dépanneuse poids lourds

Cette dépanneuse est conçue pour déplacer des camions accidentés ou en panne. C'est un engin puissant avec une grande capacité de traction et de remorquage. Grâce à la force de son bras hydraulique, elle peut redresser un camion de 50 tonnes couché sur la chaussée, et le remorquer ensuite.

LES CAMIONS AMÉRICAINS

Avec leur long capot, leur grosse calandre carrée, leurs chromes rutilants, leurs échappements verticaux et leurs énormes cabines, les camions américains sont entrés dans la légende. Les grandes marques mythiques n'offrent pas des camions standard, comme en Europe, mais proposent pour chaque modèle une large gamme d'options et font donc du « sur mesure ». Tous ont des cabines spacieuses et confortables prévues pour les longs voyages à travers l'immense continent américain.

FREIGHTLINER

Les grandes marques

Les grands constructeurs comme Kenworth, Peterbilt, Freightliner et Western Star symbolisent les camions américains typiques. La marque Kenworth, née en 1923, a été la première à installer des moteurs Diesel en série et à offrir en option une couchette dans la cabine (*sleeper*). Les Peterbilt, créés en 1939, sont considérés comme les Rolls Royce des camions ! La firme Freightliner, apparue en 1942, compte aujourd'hui de puissants tracteurs. Les camions Western Star, célèbre marque canadiennne, appartenant désormais au groupe Freightliner, sont réputés pour leur solidité et leur robustesse.
Les récents modèles ont été conçus avec des lignes aérodynamiques pour réduire la prise au vent et optimiser leur vitesse tout en économisant du carburant.

Le Peterbilt 389

Ce gros camion massif sorti en 2007 est un tracteur long-courrier (faisant fréquemment des distances de plusieurs milliers de kilomètres), équipé d'un moteur de 600 CV et d'un système de navigation GPS. Son capot, son contour de grille et ses caissons de phare sont en aluminium.

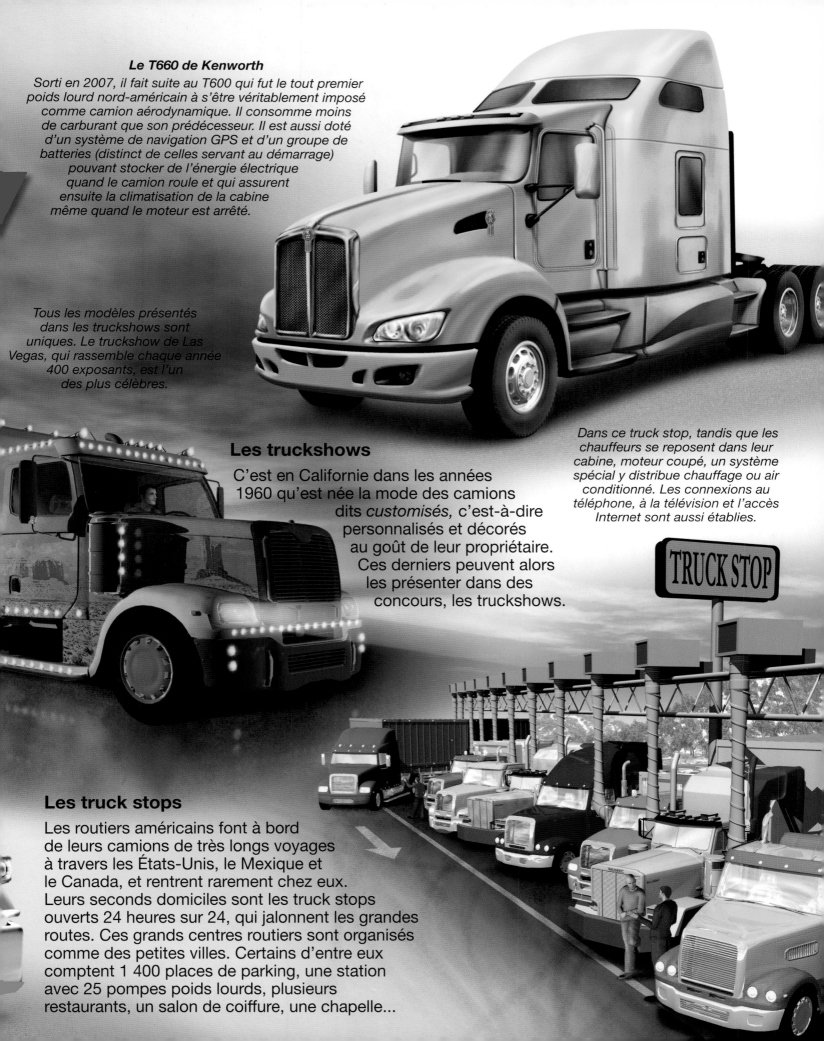

Le T660 de Kenworth

Sorti en 2007, il fait suite au T600 qui fut le tout premier poids lourd nord-américain à s'être véritablement imposé comme camion aérodynamique. Il consomme moins de carburant que son prédécesseur. Il est aussi doté d'un système de navigation GPS et d'un groupe de batteries (distinct de celles servant au démarrage) pouvant stocker de l'énergie électrique quand le camion roule et qui assurent ensuite la climatisation de la cabine même quand le moteur est arrêté.

Tous les modèles présentés dans les truckshows sont uniques. Le truckshow de Las Vegas, qui rassemble chaque année 400 exposants, est l'un des plus célèbres.

Les truckshows

C'est en Californie dans les années 1960 qu'est née la mode des camions dits *customisés*, c'est-à-dire personnalisés et décorés au goût de leur propriétaire. Ces derniers peuvent alors les présenter dans des concours, les truckshows.

Dans ce truck stop, tandis que les chauffeurs se reposent dans leur cabine, moteur coupé, un système spécial y distribue chauffage ou air conditionné. Les connexions au téléphone, à la télévision et l'accès Internet sont aussi établies.

TRUCK STOP

Les truck stops

Les routiers américains font à bord de leurs camions de très longs voyages à travers les États-Unis, le Mexique et le Canada, et rentrent rarement chez eux. Leurs seconds domiciles sont les truck stops ouverts 24 heures sur 24, qui jalonnent les grandes routes. Ces grands centres routiers sont organisés comme des petites villes. Certains d'entre eux comptent 1 400 places de parking, une station avec 25 pompes poids lourds, plusieurs restaurants, un salon de coiffure, une chapelle...

LES TRAINS ROUTIERS

Les trains routiers sont des ensembles routiers géants, formés d'un tracteur et de plusieurs remorques. Ils transportent des animaux ou du carburant à travers les vastes étendues du désert australien, et avalent régulièrement les 4 000 km qui séparent les côtes est des côtes ouest de l'Australie. Comptant parfois jusqu'à 80 roues, ils sont tractés par des moteurs de 500 à 750 CV et, avec 3 remorques, atteignent des longueurs de plus de 50 m. Chargés, ils peuvent peser jusqu'à 100 tonnes !

Trains routiers citernes

Ces trains routiers, qui transportent des carburants, sont appelés tankers (*tank* signifiant réservoir en anglais). Longs d'une cinquantaine de mètres (jusqu'à 55 m pour 4 citernes), ces monstres routiers peuvent contenir dans leurs citernes jusqu'à 134 000 litres de carburant ! Ils ravitaillent les stations-service du bush australien (étendue desséchée parsemée de rares arbres et de buissons), les ranchs et les mines d'or isolés.

CAUTION
ROAD TRAINS
50 METRES LONG

Ces bétaillères sont équipées de gigantesques réservoirs à carburant leur permettant d'avoir une autonomie de 2 000 km avant de reprendre du gasoil.

Pour traverser les déserts brûlants d'Australie, où les températures atteignent 40 °C, les cabines de ces camions sont particulièrement bien climatisées. Les conducteurs doivent bien vérifier l'état de leur véhicule avant de partir et d'affronter les centaines de kilomètres de piste sans habitations ni lieux de ravitaillement.

Les bétaillères (*cattle trucks*)

Ces trains routiers, spécialisés dans le transport d'animaux des ranchs vers les villes, tractent souvent trois bétaillères d'affilée. Ils transportent des vaches, des veaux ou des chevaux sauvages. L'Australie, avec ses grands élevages, est un important exportateur de viande. Les grands trains routiers peuvent emporter jusqu'à 200 vaches réparties sur des remorques à deux étages ! Ils sont également dotés d'énormes réservoirs.

Le chargement du bétail

Le conducteur du camion doit parfois donner un coup de main aux cow-boys pour rassembler le bétail à transporter. On se sert de chevaux, de motos, de 4x4 ou même d'hélicoptères. Les bêtes sont conduites vers des enclos métalliques d'où elles montent par des passerelles dans les camions. Cette opération est délicate car ces animaux, habitués aux grands espaces, sont nerveux et essaient de s'enfuir, donnant coups de cornes et de sabots.

Les bétaillères sont protégées à l'avant par des pare-buffles. Ils sont très utiles lorsque le camion percute accidentellement un kangourou (qui peut atteindre 2 m et peser 500 kg !).

ROAD TRAIN

LES CONVOIS EXCEPTIONNELS

Les semi-remorques des convois exceptionnels sont des monstres routiers. Ils permettent de transporter par route avions, bateaux, engins de chantier, réacteurs, turbines, plates-formes pétrolières, arches de pont... Les convois les plus lourds peuvent atteindre un poids total de 1 000 tonnes ! Ces convois sont menés par des conducteurs spécialisés. Chaque voyage est minutieusement préparé, il faut prendre des mesures pour le passage du convoi, vérifier la solidité des ponts, étudier le contournement des grandes villes...

Transporter le plus gros avion du monde

Les éléments nécessaires à la construction de l'A380, le plus gros avion de ligne du monde, sont construits dans plusieurs pays d'Europe, puis transportés par bateau et par route vers Toulouse, dans le sud-ouest de la France, où ils sont assemblés. Pour ce convoi, on utilise des tracteurs Mercedes très puissants, capables de tirer des remorques de 53 m de long. Un camion chargé pèse alors jusqu'à 235 tonnes !

Pour avertir les automobilistes, les camions qui ouvrent un convoi exceptionnel sont souvent équipés de gyrophares.

Les porte-engins

Les très gros engins de chantier (pelles hydrauliques, bulldozers, dumpers...) ne peuvent pas rouler sur route pour des raisons de sécurité. Ce sont des porte-engins qui les acheminent jusqu'aux chantiers de construction ou aux mines sur lesquels ils vont travailler. Aux États-Unis, on utilise parfois même deux semi-remorques roulant en parallèle (ci-dessus). La plupart du temps, un seul semi-remorque suffit en enlevant préalablement la benne et les roues du dumper pour alléger l'engin au maximum.

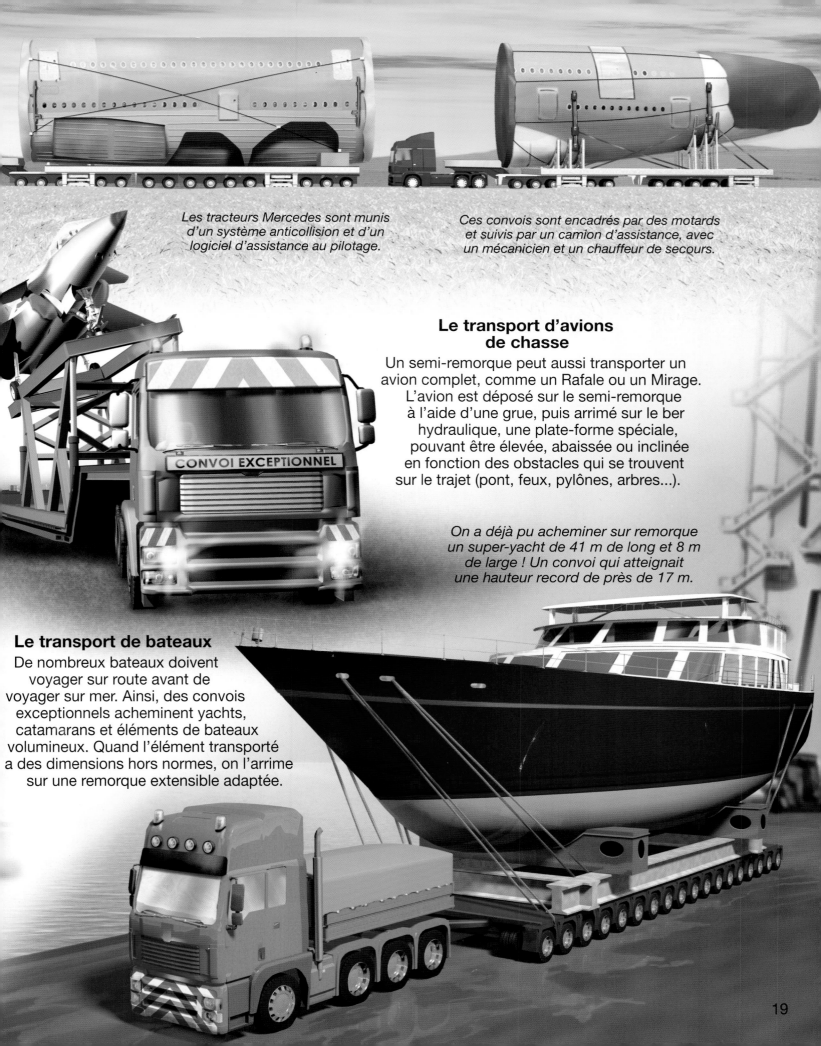

Les tracteurs Mercedes sont munis d'un système anticollision et d'un logiciel d'assistance au pilotage.

Ces convois sont encadrés par des motards et suivis par un camion d'assistance, avec un mécanicien et un chauffeur de secours.

Le transport d'avions de chasse

Un semi-remorque peut aussi transporter un avion complet, comme un Rafale ou un Mirage. L'avion est déposé sur le semi-remorque à l'aide d'une grue, puis arrimé sur le ber hydraulique, une plate-forme spéciale, pouvant être élevée, abaissée ou inclinée en fonction des obstacles qui se trouvent sur le trajet (pont, feux, pylônes, arbres...).

On a déjà pu acheminer sur remorque un super-yacht de 41 m de long et 8 m de large ! Un convoi qui atteignait une hauteur record de près de 17 m.

Le transport de bateaux

De nombreux bateaux doivent voyager sur route avant de voyager sur mer. Ainsi, des convois exceptionnels acheminent yachts, catamarans et éléments de bateaux volumineux. Quand l'élément transporté a des dimensions hors normes, on l'arrime sur une remorque extensible adaptée.

CONVOI EXCEPTIONNEL

19

LES CAMIONS MILITAIRES

Ils jouent un rôle important dans les conflits car ils assurent rapidement le transport des troupes et du matériel. Les véhicules de liaison peuvent être dérivés des camions civils mais les camions tactiques sont spécialement conçus pour les armées. Ils doivent pouvoir évoluer sur tous les terrains pour accéder au plus près des zones de combat. Beaucoup ravitaillent en munitions, carburant et matériel. Les blindés circulent dans des zones à risques.

Le transport d'équipement lourd

Ce camion américain est conçu pour transporter rapidement un ou deux tanks, des véhicules de combat et de secours, des engins blindés, du matériel de construction ainsi que les équipages qui les accompagnent. La cabine compte 6 places ; les hommes y voyagent confortablement jusqu'à leur lieu de mission.

Camion de transport de missiles

Ce véhicule lourd américain tracte une plate-forme de lancement de missiles. Ces missiles, des engins volants guidés par système électronique, sont destinés à détruire en vol des missiles ennemis chargés d'explosifs. Le camion est équipé d'un dispositif permettant d'effectuer des lancements et guidages de missiles Patriot qui volent à 5 fois la vitesse du son et peuvent neutraliser les missiles ennemis jusqu'à 80 km.

Le tracteur qui remorque la station de lancement peut être utilisé pour d'autres missions : ravitaillement en carburant et équipements, transport de matériel...

Ce camion porte-char doté d'un moteur de 700 CV et de 8 roues directrices peut rouler sur pistes ou même sur des terrains en friche. Conçu pour les situations extrêmes, il supporte des températures de – 50 °C à + 50 °C.

Non chargé, ce porte-char pèse 39 tonnes et mesure 3,62 m de long sur 1,40 m de haut.

Le Renault TRM 10 000 est doté de six roues motrices. Il est possible de lui ajouter de nombreux équipements selon les versions et les missions.

Le Renault TRM, toutes roues motrices

Cheval de bataille de l'armée française, il est en service depuis 1994. Le TRM est conçu pour des missions de tansport et pour porter des systèmes d'armes. Capable d'affronter tous types de terrain, il existe en différentes versions : tracteur d'artillerie, camion-citerne, camion de dépannage ou même semi-remorque. Il peut aussi être équipé d'un bras hydraulique et d'un plateau mobile pour charger du matériel. Il peut accueillir 8 membres d'équipage et rouler jusqu'à 90 km/h.

LES CAMIONS DE POMPIERS

Il existe une large gamme de camions de pompiers pour répondre aux interventions les plus variées : engins de lutte contre l'incendie, camions de secours aux asphyxiés et blessés. S'y ajoutent des engins plus spécialisés, disposant de techniques de pointe pour lutter par exemple contre les incendies d'aéroport, les risques industriels et chimiques (camions-laboratoires pour détecter les fuites toxiques), contre les incendies survenant dans les tunnels ferroviaires et routiers...

Certains de ces engins ont un bras articulé qui peut transpercer la carlingue et éteindre un incendie à l'intérieur de l'appareil en 5 minutes.

Les camions feux de forêt

Ces véhicules tout terrain doivent pouvoir se rendre partout grâce à leurs quatre roues motrices. Ils emportent 4 hommes et une réserve de 2 000 à 8 000 litres d'eau. Les vitres sont recouvertes d'un filtre protecteur contre le rayonnement de chaleur que dégage un incendie. La cabine de survie est conçue pour que l'équipage s à l'abri au cas où le camion sera encerclé par les flammes. Elle es entourée d'un réseau de jets qui l'aspergent d'eau pour la refroidir. Elle est aussi renforcée et protégée pou résister à l'écrasemen si le camion se renversait.

Les camions feux de forêt disposent de plus de 680 m de tuyaux, de lances, de sceaux pompes (sacs à dos étanches remplis d'eau qui servent à agir sur les petits foyers à trop grande distance du camion), de masques à oxygène...

22

Véhicules intervenant sur les aéroports

Ils interviennent pour éteindre les incendies d'avion. Ce sont les camions les mieux équipés au monde en matière de sécurité incendie. Ils emportent un énorme volume d'eau (jusqu'à 15 000 litres) et jusqu'à 3 000 litres d'émulseur pour produire de la mousse. La lance du Panther (ci-contre), fixée au bout d'un bras extensible de grande portée, peut atteindre des flammes de 16 m de haut. Son débit est très puissant car il faut souvent agir très vite.

Les camions de pompiers américains

Sur ces camions, très différents par leur forme des modèles européens, la priorité est donnée à la puissance des véhicules et à la facilité d'accès à la cabine. Le débit de leur pompe, plus élevé que celui des camions européens, peut dépasser 7 000 litres par minute. Ils disposent généralement aussi d'une grande citerne. Les plus grands de ces camions mesurent plus de 12 m de long.

La grande échelle est le symbole des pompiers. Les échelles pivotantes servent à effectuer les sauvetages et à lutter contre les incendies. Des nacelles fixes ou amovibles permettent d'évacuer les victimes. Elles peuvent atteindre de 25 à 50 m, voire 60 m pour les plus hautes.

LES COURSES DE CAMIONS

Les premières courses de camions sont apparues en Angleterre dans les années 1980, puis elles ont peu à peu conquis le reste de l'Europe. Elles se déroulent soit sur des circuits en bitume, soit sur des circuits en terre. Sur les circuits en bitume, les camions ne doivent pas dépasser 160 km/h. Dans les rallyes-raids, à côté des autos et des motos, courent désormais aussi des camions. Ces courses à travers des dunes ou sur pistes cahoteuses mettent à rude épreuve les véhicules et permettent aux constructeurs de tester leur résistance.

Les courses de trials

Dans l'Europa Truck Trial, une compétition qui a vu le jour en Allemagne, des camions standard et des prototypes, classés par catégorie, doivent suivre un parcours donné et passer des portes dans un temps limité. Une série d'obstacles naturels ou artificiels les attend, le parcours est ainsi parsemé de creux, de bosses et truffé de pièges. Avant de se lancer, pilotes et copilotes reconnaissent le terrain à pied pour évaluer les difficultés du parcours.

Le championnat d'Europe

Il s'agit d'une course de vitesse qui se déroule sur les circuits de divers pays d'Europe. Le nombre d'épreuves est fixé à 10. Les camions de course sont des tracteurs routiers appartenant à de grandes marques (Man, Mercedes, Iveco, Scania...). Depuis 2006, il n'y a plus qu'une seule catégorie représentée : les trucks d'une puissance de 700 à 1 100 CV.

Le départ d'une course de championnat est souvent impressionnant. À 3 ou 4 camions de front, le premier virage est spectaculaire.

Pendant les championnats d'Europe, chaque épreuve est composée de deux courses qualificatives de 30 km et de deux courses de championnat de 45 km. Selon sa position à chacune des courses, le pilote obtient un certain nombre de points. Le champion d'Europe est celui qui totalise le plus de points.

Le camion cross

Les camions prennent le départ à 4 de front sur un circuit à la fois composé de routes bitumées et de pistes en terre. On distingue 4 catégories de camions : les camions légers (4,5 tonnes), les camions standard (camions de série), la catégorie cross (camions de série modifiés) et la catégorie super-cross (prototypes).

Pilotes et copilotes de trials doivent porter un casque et être attachés par des harnais de sécurité car le camion se cabre et menace souvent de se renverser.

Les rallyes-raids

Dans les rallyes-raids comme le Dakar, le rallye d'Orient ou celui des Pharaons, les camions sont à la fois présents comme camions de course et véhicules d'assistance pour les autos et motos. Dans chaque camion, on trouve un pilote et un navigateur. Les types de camions autorisés, de 450 à 800 CV, sont des véhicules de série ou des véhicules de série modifiés. Sur les épreuves spéciales, ces camions doivent affronter des pistes cailouteuses, des routes sinueuses et montagneuses, traverser des déserts...

Sur les pistes défoncées et tortueuses des rallyes, les incidents sont nombreux : pneus qui éclatent, roues déjantées, sorties de route qui se terminent parfois en tonneaux... Les véhicules sont mis à rude épreuve et souvent réparés au bord de la piste.

25

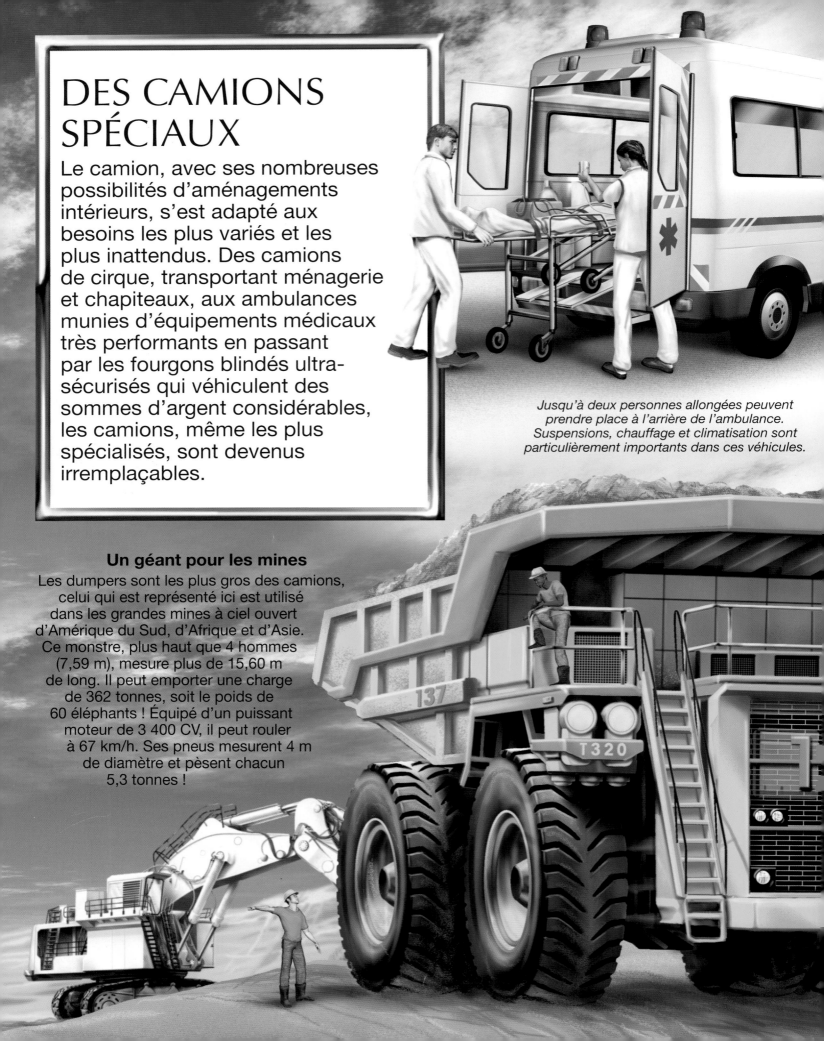

DES CAMIONS SPÉCIAUX

Le camion, avec ses nombreuses possibilités d'aménagements intérieurs, s'est adapté aux besoins les plus variés et les plus inattendus. Des camions de cirque, transportant ménagerie et chapiteaux, aux ambulances munies d'équipements médicaux très performants en passant par les fourgons blindés ultra-sécurisés qui véhiculent des sommes d'argent considérables, les camions, même les plus spécialisés, sont devenus irremplaçables.

Jusqu'à deux personnes allongées peuvent prendre place à l'arrière de l'ambulance. Suspensions, chauffage et climatisation sont particulièrement importants dans ces véhicules.

Un géant pour les mines

Les dumpers sont les plus gros des camions, celui qui est représenté ici est utilisé dans les grandes mines à ciel ouvert d'Amérique du Sud, d'Afrique et d'Asie. Ce monstre, plus haut que 4 hommes (7,59 m), mesure plus de 15,60 m de long. Il peut emporter une charge de 362 tonnes, soit le poids de 60 éléphants ! Équipé d'un puissant moteur de 3 400 CV, il peut rouler à 67 km/h. Ses pneus mesurent 4 m de diamètre et pèsent chacun 5,3 tonnes !

Les ambulances

Ce sont des véhicules de secours pour les victimes de malaises, crises cardiaques, entorses, accidents de la route, etc. Les ambulances transportent le matériel nécessaire aux premiers soins : brancards, matelas spécifiques pour maintenir la victime en position fixe, bouteilles et masques à oxygène, perfusions...

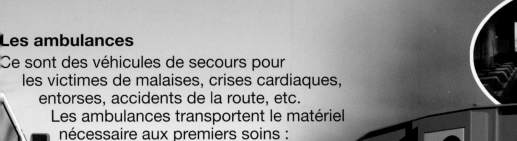

La cabine du dumper est tellement haute que le conducteur y accède par une échelle.

Le cinémobile

Ce camion s'installe de village en village pour permettre aux habitants qui se trouvent loin d'un cinéma d'assister à la projection de films récents. Chaque camion est un semi-remorque de 18 m de long, qui se transforme en véritable salle de cinéma de 100 places, chauffée et climatisée.

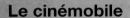

Les camions de transport de fonds

Ces camions convoient entre les banques centrales et les agences bancaires locales les billets dont ont par exemple besoin les guichets et les distributeurs automatiques. Leur priorité est la sécurité. Ces camions sont protégés contre d'éventuelles attaques par des blindages en aciers spéciaux de façon à ce qu'un tir déforme la carrosserie sans la percer. Les portes sont verrouillées par des serrures commandées électroniquement et, à l'intérieur, les billets sont eux-mêmes disposés dans des coffres ou valises blindés.

TABLE DES MATIÈRES

ISBN : 978. 2. 215. 08740. 3
© Éditions FLEURUS, 2007.
Dépôt légal à la date de parution.
Conforme à la loi n°49-956 du 16 juillet 1949
sur les publications destinées à la jeunesse.
Imprimé en Italie.